www.zeporama.com
www.stanetvince.com
www.tcho.fr
www.glenatbd.com

Tchô! la collec'...
Collection dirigée par J.-C. Camano

© 2014 Zep, Stan et Vince.
© 2014 Éditions Glénat pour la présente édition.
Couvent Sainte-Cécile
37, rue Servan
38000 Grenoble

Tous droits réservés pour tous pays.
Dépôt légal : avril 2014
ISBN : 978-2-7234-9996-5 / 001
Achevé d'imprimer en france en mars 2014 par Pollina - L68059,
sur papier provenant de forêts gérées de manière durable.

Les CHRONOKIDS
LES GRANDES INVENTIONS DE L'HISTOIRE

ZEP et STAN & VINCE

L'ordinateur
1949

Alan Turing

RÂÂÂÂ! L'ORDINATEUR A ENCORE PLANTÉ!

"MÉMOIRE INSUFFISANTE"!!

IL EST TROP VIEUX!

IL N'EST PAS TROP VIEUX! C'EST JUSTE QUE VOUS AVEZ CHARGÉ 500 JEUX DESSUS!!

C'EST TROP!

LE 512e, C'EST ADÈLE!!!

VOUS ME RÉPAREZ ÇA! C'EST MON ORDI DE TRAVAIL!!!

NE LAISSEZ QU'UN SEUL JEU!

GLP!!!

C'EST NUL! SI J'AVAIS INVENTÉ L'ORDINATEUR, J'AURAIS MIS PLUS DE PLACE POUR LES JEUX!

HÉ! ÇA C'EST UNE IDÉE!!

QUOI?
IL N'EN EST PAS QUESTION.!!

UNE "TURING ADÈLE" ALORS?

JE TRAVAILLE DEPUIS DES ANNÉES SUR CETTE MACHINE! ELLE PORTERA MON NOM!!!

PFFF! BRAVO LA GALANTERIE...

COMME VOUS VOUDREZ... MAIS JE NE VOUS LE CONSEILLE PAS!

COMME UN ORDI — PARDON, UN "TURING" — ÇA PLANTE TOUT LE TEMPS, VOTRE NOM SERA LE PLUS INSULTÉ DE L'HISTOIRE...

"◎✿☆✳ DE TURING DE ☆✳◎⚡"

"⦅⦆◉⚡⚡ DE TURING!!"

OU COMME DIRAIT PAPA: "☁️✳🗡️◎◎⚡ DE TURING À LA ☁️◎☁️ QUI 🗯️💭 LÀ ◎⚡!!"

BON, ON VOUS LAISSE BOSSER... MAIS N'OUBLIEZ PAS: LES JEUX, C'EST L'AVENIR!

ET LE "POWER ADÈLE"?

MM?

REGARDE, ADÈLE, J'AI INVENTE L'ORDINATEUR PORTABLE !!!!

● Le premier ordinateur électronique à programme enregistré, que l'on voit dans cette histoire, s'appelait le Manchester Mark 1. Il pesait 7 tonnes et remplissait une pièce de 75 m^2.

Le saviez-vous ?

● PC signifie *personal computer*, ordinateur personnel. Auparavant, les ordinateurs étaient des machines énormes, utilisées par l'armée ou la recherche scientifique. Le premier PC accessible à tous sort en 1981.

T'ES SÛRE QUE PAPA VA AIMER ?

...ET J'AIME BIEN LES CHOCOMIAMMIAM AUSSI !

ON VA EN RESTER À LA POMME ...

● Mac vient de McIntosh. C'était le nom de la pomme préférée de JEF RASKIN, employé de la firme Apple. Le Macintosh, premier ordinateur équipé d'une souris, sortira en 1984.

• ALAN TURING a été chassé de la faculté de Manchester parce qu'il était homosexuel, ce qui était interdit par la loi anglaise à l'époque. Il se suicidera peu après en croquant une pomme empoisonnée. Beaucoup pensent que le logo d'Apple est un hommage à ce grand chercheur.

• Le mot « ordinateur » a été choisi en 1955 par IBM, pour traduire le mot anglais *computer*. Initialement, celui-ci se traduit par « calculateur » ou « calculatrice ».

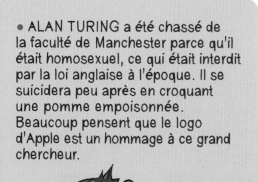

• En 1952, TURING écrit un programme de jeu d'échecs. Une partie fut enregistrée... et l'ordinateur perdit contre un collègue de Turing.

OUIN!

DÉSOLÉ, TU NE PASSES PAS AU NIVEAU 2 !

● En 1834, CHARLES BABBAGE a conçu une machine à calculer programmable. Cet ancêtre de l'ordinateur fonctionnait avec des cartes perforées en carton.

● *WAR GAMES*, sorti en 1983, raconte l'histoire d'un jeune garçon qui, en jouant sur son PC, déclenche sans le savoir une attaque contre le système informatique militaire américain, et manque de provoquer une guerre mondiale. C'est le premier film sur le danger des jeux vidéo…

Le piano
(1698)

Bartolomeo Cristofori

Le saviez-vous ?

- La personne qui fabrique des pianos s'appelle un « facteur de pianos ».

- Le plus vieil instrument retrouvé est une flûte. Des hommes de Néandertal en jouaient il y a 35 000 ans !

- Le nom « piano » est une abréviation de piano-forte, qui signifie « doucement-fort ». Cristofori l'avait appelé comme ça parce qu'on pouvait justement nuancer et jouer soit piano, soit forte.

● Lorsqu'on appuie sur une touche de piano, celle-ci actionne un marteau qui frappe une corde et se relève aussitôt pour la laisser sonner. C'est donc un instrument à cordes, comme la guitare ou le violon.

QU'EST-CE QUE TU DIS ??

● Le piano le plus cher de l'histoire est le STEINWAY sur lequel John Lennon a composé la chanson « Imagine ». Il a été vendu 2 millions de dollars en 2000.

● Le piano-forte de CRISTOFORI comptait 49 touches. Aujourd'hui, le clavier d'un piano est composé de 88 touches.

● Le « piano à bretelles » est le surnom de l'accordéon.

IMAGINE ♫
NO POSSESSIONS ♫

● Mozart a composé plus de 600 œuvres musicales avant de mourir à 35 ans.

● CRISTOFORI était un manufacturier de clavecins et de clavicordes, les ancêtres du piano. C'est en cherchant à développer les possibilités du clavicorde qu'il inventa le piano.

● À la seconde moitié du 19e siècle, on inventa le piano mécanique. On y enfilait une carte perforée, et le piano jouait tout seul. Les touches et les pédales étaient actionnées par les perforations de la carte, comme si un homme invisible jouait.

● JERRY LEE LEWIS, l'un des pères du rock'n'roll, jouait du piano avec les doigts, les pieds et les talons.

● GLENN GOULD, un des plus grands pianistes du 20e siècle, jouait toujours assis sur une chaise pliante dont il avait coupé les pieds. Il l'emportait partout avec lui. Il avait ainsi le visage à la hauteur des touches, et cette chaise basse devint sa marque de fabrique.

Le cinéma

(1895)

Auguste & Louis Lumière

NOUS AVONS PHOTOGRAPHIÉ, À L'AIDE DE CETTE MACHINE, UNE SUITE D'IMAGES DÉVELOPPÉES SUR UN RUBAN PERFORÉ.

OUI...

OH!

AH!

HMM

TOUT BONNEMENT INCROYABLE!

EN ACTIONNANT LA MANIVELLE DU CINÉMATOGRAPHE, LES IMAGES DÉFILENT... ET GRÂCE À CETTE LANTERNE,, ELLES SONT **PROJETÉES** SUR UN ÉCRAN,!!

WHAOU

WOOO

JE SUIS STUPÉ- FAIT !!

MARVIIN!

ON VA MOURIR !!

C'EST BON... ON S'EN VA!

MUTT MUP MÜT

RRAAAAHA

D'UN RÉALISME SAISISSANT !

D'UN RÉALISME PRESQUE TROP RÉALISTE!...

MAIS?

RAOU

MARVIN ! ON EST OÙ, LÀ ??

EN 1895, COMME SUR TA FICHE !

C'EST LA PREMIÈRE SÉANCE DE CINÉ DE L'HISTOIRE !

MON CHER LUMIÈRE, AU NOM DE LA SOCIÉTÉ D'ENCOURAGEMENT POUR L'INDUSTRIE NATIONALE, JE VOUS FÉLICITE POUR VOTRE INVENTION SPECTACULAIRE !!

M... MERCI...

AAAA

INCROYABLE !

OUAIS, Y A MÊME PAS DE POP CORN !!!

● RUDOLPH VALENTINO, la star du *Fils du cheik* en 1926, fut la première idole hollywoodienne. Lorsqu'il meurt de septicémie (à 31 ans), 100 000 fans accompagnent sa dépouille dans les rues de New York. Des femmes inconsolables iront jusqu'à se suicider !

Le saviez-vous

● Pour leur première séance publique, les frères LUMIÈRE ont projeté le film d'un train qui entre en gare. Les spectateurs, horrifiés, ont quitté la salle en hurlant. Ils croyaient qu'un train leur fonçait réellement dessus !

● Le premier film de l'histoire s'intitule *DICKSON GREETING*. Il fut présenté en 1891 sur le kinétoscope. Les gens se succédaient pour regarder par le viseur. On pouvait y voir monsieur Dickson, belle moustache, saluer avec son chapeau. Le film durait 3 secondes !

● En 1886, un couple achète un ranch dans la campagne, pas loin de Los Angeles. Ils l'appellent « Hollywood ». Dès 1910, HOLLYWOOD devient la capitale du cinéma. Aujourd'hui, le quartier compte plus de 250 000 habitants et le plus grand nombre de stars au mètre carré.

• En avance sur les frères Lumière, en 1888, THOMAS EDISON avait mis au point le kinétoscope, un appareil permettant de visionner des films. Il s'agissait d'une grosse boîte en bois sur laquelle on posait sa tête et on regardait par un œilleton. En 1895, il créa le kinétophone, un kinétoscope équipé d'un phonographe (dont il était aussi l'inventeur) qui permettait de regarder des films sonores !
Mais il refusa d'adapter sa machine pour projeter des images. Les kinétoscopes se vendaient dans toute l'Amérique et il pensait que projeter des films dans des salles tuerait sa poule aux œufs d'or...
Voilà pourquoi aujourd'hui on va au ciné... et pas au kiné !

SYMPA, D'ALLER AU KINÉMA ENSEMBLE...

C'EST COOL LE ZOOPRAXI-MACHIN-TRUC !!!

ÇA AURAIT JAMAIS PU MARCHER...

LE NOM EST TROP COMPLIQUÉ !!

• Le zoopraxiscope, le praxinoscope, le zootrope... sont tous des machines qui permettaient de faire défiler quelques images très rapidement. L'œil reconstitue automatiquement le mouvement. On appelle ça : la persistance rétinienne. Ces machines sont très populaires entre 1830 et 1900... Elles tomberont dans l'oubli avec l'arrivée du cinéma mais ouvriront la voie au dessin animé !

• La pellicule de cinéma (bande photographique avec de petits trous sur les côtés) avait été brevetée par Edison, et il percevait 2 dollars par semaine pour chaque salle de cinéma... On prétend que l'industrie du cinéma se serait déplacée sur la côte Ouest, à Hollywood, pour échapper aux détectives d'Edison.

• *LE CHANTEUR DE JAZZ* est le premier film parlant. Il est sorti en 1927 et fut un tel succès que tout le monde se mit au cinéma parlant. Auparavant, les films étaient muets, accompagnés parfois par un pianiste ou un orchestre ou encore par un enregistrement sonore qui pouvait contenir quelques dialogues...

• GEORGES MÉLIÈS (1861-1938) est le premier réalisateur à travailler sur des effets spéciaux. En 1896, il filme un magicien faisant disparaître une dame. Son chef-d'œuvre, *Le Voyage dans la Lune*, en 1902, est le premier film fantastique de l'histoire du cinéma !

• En 1995, *TOY STORY* est le premier long-métrage entièrement réalisé en images numériques, c'est-à-dire que les images n'existent ni sur pellicule ni sur papier mais sont modélisées et calculées par des ordinateurs.

MARVIN! ARRÊTE D'ALLUMER TOUTES LES LUMIÈRES DE LA MAISON QUAND TU VAS AUX TOILETTES!

CLIK

TU TE RENDS COMPTE QU'ON NOUS VOIT DEPUIS L'ESPACE TELLEMENT NOS VILLES SONT ÉCLAIRÉES ?!!!

BON... ET ALORS?

WC

ET ALORS?? ON NOUS VOIT DEPUIS LES AUTRES PLANÈTES... !!! ÇA ENVOIE UN SIGNAL AUX EXTRATERRESTRES !!! "VENEZ NOUS ENVAHIR! HOU HOU... ON EST LÀÀÀ !"

N'IMPORTE QUOI!

BIEN VENUE

BARBECUE SUR TERRE, LES GARS!

SI LES EXTRATERRESTRES EXISTAIENT, ÇA FAIT LONGTEMPS QU'ILS NOUS AURAIENT REPÉRÉS...

NEW JERSEY, OCTOBRE 1879. CENTRE DE RECHERCHES DE THOMAS EDISON...

RIEN À FAIRE... ÇA NE MARCHE PAS!

VOTRE LAMPE A TOUT DE MÊME ÉCLAIRÉ PENDANT 12 SECONDES, MONSIEUR...

12 SECONDES, C'EST MINABLE!! JE DOIS TROUVER LE FILAMENT QUI BRÛLE **SANS** SE CONSUMER!!!

HEU...

DONNEZ-MOI UN AUTRE CHEVEU, JONES... JE VAIS ESSAYER DE LE TREMPER DANS... DU... DE L'OXYDE DE ZINC? DU SULFURE DE PLOMB?

DE L'HUILE D'OLIVE?...

AÏEEU!

TIC

MONSIEUR EDISON, C'EST NOTRE 1217e EXPÉRIENCE! IL FAUDRA TROUVER UN AUTRE ASSISTANT,... JE N'AI BIENTÔT PLUS DE CHEVEUX...

TAISEZ-VOUS, JONES, C'EST POUR LA SCIENCE!!

ÇA MARCHE !!
ÇA BRILLE !!
ÇA ÉCLAIRE !!

MA FORTUNE
EST FAITE !!

VOUS
M'ACHÈTEREZ
UNE
PERRUQUE ?

AH
BRAVO !

IMAGINEZ ,,, DEPUIS L'AUBE DE
L'HUMANITÉ, L'HOMME CHERCHE
À S'ÉCLAIRER ,,,

DE LA TORCHE, ON EST PASSÉ
AUX BOUGIES DE SUIF,,, QUI
DÉGAGEAIENT UNE HORRIBLE
FUMÉE ,,,

SI ON FAISAIT PLUTÔT
UN REPAS ROMANTIQUE
À MIDI ?,,,

,,, AUX LAMPES À HUILE,
À PÉTROLE ,,,

,,, AUX LAMPES À GAZ ,,,
À L'ODEUR PESTILENTIELLE ,,,

PFFFF

LA LAMPE
A PÉTÉ ,

GRÂCE À MOI, THOMAS EDISON, L'HOMME A VAINCU LES TÉNÈBRES !

... ET LES ODEURS D'ŒUF POURRI !

C'EST BEAU !

oui.

... PLUS JAMAIS L'HOMME N'ERRERA DANS LA NUIT, INCAPABLE DE TROUVER LA PORTE DES TOILETTES !

GARDEZ L'AUTRE PHRASE HISTORIQUE, MONSIEUR !

HÉÉÉ, MAIS J'Y PENSE ...

JE M'ÉTAIS LEVÉ POUR ALLER FAIRE PIPI QUAND TU M'AS ARRÊTÉ, AVEC TES DÉBILITÉS D'EXTRA-TERRESTRES !

HEU ...

À LA MAISON, VITE !

JE VOULAIS JUSTE ÉVITER QUE LES ALIENS NE VIENNENT NOUS EXPLOSER ...

C'EST MA VESSIE QUI VA EXPLOSER !!!

FFRRIZZZZZZZZZ

JE SUIS ALLÉ AU BUREAU DES BREVETS...

...MAIS C'ÉTAIT ÉTEINT !!!

• THOMAS EDISON est un champion de l'invention ! À 19 ans, il dépose son premier brevet, pour un transmetteur-récepteur en alphabet morse. Au long de sa carrière, Edison déposera 1093 brevets d'inventions, dont le microphone, le phonographe (l'ancêtre du lecteur CD) et la caméra !

ET ÇA ? VOUS N'AVIEZ PAS DÉPOSÉ LE BREVET ?

JE VAIS APPELER ÇA... LE MARVINOTOR

GRAT GRAT

• Un enseignant écossais, JAMES BOWMAN LINDSAY, inventa déjà une ampoule électrique en 1835. Il en fit une démonstration publique mais ne déposa jamais de brevet et ne l'exploita pas.

Le saviez-vous ?

64.

• En Europe, il se vend 63 ampoules par seconde.

AMPOULE À VIS

AMPOULE À BAÏONNETTE

AMPOULE AU PIED

BONNE CHANCE POUR LE BREVET !

• JOSEPH SWAN, un chercheur anglais, avait trouvé la formule de la lampe à incandescence (l'ampoule électrique) un an avant Thomas Edison. Il avait déposé son brevet en Angleterre et moins bien protégé son invention.
La justice autorisera les deux hommes à exploiter leur invention. Swan développera les ampoules « à baïonnette » en Europe, et Edison, les ampoules « à vis » aux États-Unis...

• Depuis 125 ans, l'ampoule n'a pratiquement pas changé. Le filament de carbone a été remplacé par du tungstène, un métal incombustible. À part ça, elle ressemble à celle d'Edison.

J'AI INVENTÉ LE SOLEIL !

BEAUCOUP TROP DE CHALEUR GASPILLÉE... PAS ÉCOLO !

• Depuis quelques années, les lampes à diodes électroniques (LED) remplacent les ampoules à incandescence. Elles sont plus écologiques et durent plus longtemps. L'ampoule électrique traditionnelle utilise 5 % d'électricité pour éclairer et 95 % pour chauffer le filament, c'est pourquoi ces ampoules deviennent brûlantes. Le filament finit par se consumer et l'ampoule meurt.

VOUS LAISSEZ LA LUMIÈRE ALLUMÉE DEPUIS **110 ANS ?**

BRAVO POUR L'EXEMPLE !!

● Une ampoule à filament de carbone brille sans interruption depuis 1901, dans la caserne des pompiers de Livermore, en Amérique !

● En 1924, à Genève, s'est réuni secrètement le cartel Phoebus : les plus grands fabricants d'ampoules ont décidé de limiter à 1000 heures la durée de vie des ampoules qui jusque-là étaient beaucoup plus résistantes. Plus tard, ils ont affirmé que c'était une norme pour économiser l'électricité parce qu'en vieillissant, l'ampoule consomme toujours plus pour éclairer de moins en moins... Beaucoup pensent que la norme « 1000 heures de lumière » a surtout été fixée pour vendre plus d'ampoules ! En effet, dès lors, les ampoules ont été fabriquées plus fragiles afin que le filament se brise au plus tard après 1000 heures de lumière.

BD AVANT EDISON

BD AVANT L'INVENTION DU FEU

J'AI UNE IDÉE !

J'AI UNE IDÉE !!

HEU...

J'AI PÔ D'IDÉE...

● En BD, l'ampoule est le symbole de l'idée.

Le téléphone
1876

Alexander Graham Bell

JE ME PRÉSENTE : MARVIN, GÉNIE ! ET VOICI MON INVENTION, LE **MARVINADÈLOPHONE !**

VOILÀ !,,, PLACEZ CE ,,, HEU,,, MARVINORÉCEPTEUR PRÈS DE VOTRE OREILLE,,, VOULEZ-VOUS ?

?!

ALPHA TANGO ZOULOU... VOUS ME RECEVEZ 5 SUR 5 ?,,,

?!?

C'EST TOUT BONNEMENT INGÉNIEUX !

TCHÔ !

"CHÔ.

LA VIBRATION DE LA VOIX EST TRANSPORTÉE PAR LE FIL ET REPRODUITE À L'AUTRE BOUT !,,, IL FAUDRAIT UTILISER LES FILS DU TÉLÉGRAPHE POUR FAIRE VOYAGER CETTE ,,, VIBRATION, SOUS FORME D'ONDE **ÉLECTRIQUE !**

VOILÀ ! METTEZ-NOUS DE L'ÉLECTRICITÉ, GRAHAM !,,,

,,,POUR REPRODUIRE LA VOIX HUMAINE, SELON LE THÉORÈME DE,,, M,,, N,,,.

WATSON ! DU PAPIER !,,,

HEU,,, ON VOUS LAISSE AVANCER ,,,

VOUS NOUS PASSEZ,,, UN COUP DE FIL QUAND VOUS AVEZ FINI ?!

• Plusieurs années avant GRAHAM BELL, l'Italien ANTONIO MEUCCI (1808-1889) met au point un Téléttrophone. En 1871, il protège son invention par un « avertissement de brevet ». C'était moins cher qu'un brevet, mais il fallait le renouveler.
Manquant d'argent, Meucci entre en contact avec la Western Union qui lui offre un laboratoire pour entreposer ses appareils en vue d'une démonstration... mais le rendez-vous n'a jamais lieu et c'est Graham Bell qui aurait récupéré le laboratoire... et déposé le brevet deux ans plus tard !
Convaincu de s'être fait voler son invention, Meucci intenta un procès à Bell. Le procès s'arrêta à la mort de Meucci... qui n'a jamais rien obtenu.
130 ans plus tard, le 11 juin 2002, son rôle dans l'invention du téléphone est enfin reconnu par la Chambre des représentants des États-Unis.
Mais Meucci n'est toujours pas cité dans les livres d'histoire...

Qui est l'inventeur du **téléphone ?**

• ELISHA GRAY (1835-1901), inventeur américain, travaillait lui aussi sur un prototype de téléphone. Il a déposé le schéma du téléphone au bureau des brevets le 14 février 1876, le même jour que GRAHAM BELL !
Selon la loi américaine, c'est le premier qui dépose qui l'emporte... Gray affirma être passé à l'ouverture des bureaux, pourtant son téléphone a été écarté au profit de celui de Bell. Pire : Bell aurait eu accès au dossier de Gray, qui avait résolu des problèmes sur lesquels Bell butait encore !
L'examinateur du bureau des brevets avouera plus tard être alcoolique et devoir de l'argent à l'avocat de Bell...
Gray attaquera Bell en justice mais n'obtiendra aucune reconnaissance... même si pour une bonne partie des scientifiques, il est l'inventeur du téléphone.

Le saviez-vous ?

EN HOMMAGE À GRAHAM BELL, MON TÉLÉPHONE PLANTE TOUTES LES DIX MINUTES !...

• À la mort de GRAHAM BELL, le 4 août 1922, tous les téléphones du continent américain ont été réduits au silence pendant une minute.

NON, MABEL... ÇA N'EST PAS UN VASE !

PFF... LAISSE TOMBE

• La mère et la femme de Bell étaient sourdes, c'est pourquoi il s'est beaucoup intéressé à la transmission des sons. En plus de ses recherches sur le téléphone, il a passé sa vie à enseigner la diction et à apprendre à parler aux sourds.

• BELL a mis au point plusieurs appareils auditifs pour les sourds et malentendants. Il considéra par la suite le téléphone comme une parenthèse dans son travail de scientifique et refusa même d'en avoir dans son laboratoire.

• Le yaourtophone, ou téléphone en pots de yaourt, marche très bien. Il faut simplement relier deux pots de yaourt vides par une ficelle tendue. On perce le fond du pot et on fait tenir la ficelle par un nœud ou une agrafe... La voix fait vibrer le fond du yaourt comme une peau de tambour ou comme un tympan, puis la ficelle transmet la vibration à l'autre pot qui sert de récepteur.

ON N'ENTEND PAS BIEN...

MAIS ÇA SENT LA FRAISE.

UN POT DE YAOURT **VIDE !**

• En 2013, on compte 6 milliards de téléphones portables sur Terre !

La pile

(1800)

Alessandro Volta

L'ÉLECTRICITÉ N'EST PAS DANS LES GRENOUILLES... ELLE EST DANS L'AIR! IL FAUT ARRIVER À LA CAPTURER ET À LA STOCKER!

ET LÀ, J'AI TROUVÉ LA SOLUTION!

J'AI EMPILÉ DES DISQUES DE CUIVRE ET DES DISQUES DE ZINC... JE LES SÉPARE AVEC UN BOUT DE TISSU TREMPÉ DANS DE L'EAU SALÉE...

HÉ! C'EST POUR ÇA QUE ÇA S'APPELLE UNE PILE!!

CHUT!

L'EAU OXYDE LE ZINC ET ÇA PRODUIT DES ÉLECTRONS! C'EST TOUT SIMPLE : $Zn \rightarrow Zn^2 + 2e^-$!

MOI, J'AI FAIT UNE PILE DE SLIPS DANS MA CHAMBRE... MAIS JE NE CONNAIS PAS LA FORMULE...

C'EST GÉNIAL, MONSIEUR VOLTA,... ET ON PEUT METTRE UNE AMPOULE AU BOUT?

UNE QUOI?

LAISSE TOMBER, ÇA N'EXISTE PAS ENCORE!

ET ÇA SERT À QUOI, VOTRE PILE??

BEN... SI ON TOUCHE, ÇA FAIT DES GUILIS...

ZZZZ

AÏE!!

KZZZ Z

POUR LE MOMENT, ÇA NE SERT À RIEN... MAIS JE SUIS SÛR QU'ON VA POUVOIR EN FAIRE BEAUCOUP DE CHOSES!

UNE "GRENOUILLE ACADEMY" ?!?!

MONSIEUR VOLTA... DÉSOLÉE POUR VOUS, MAIS NOTRE CHAT AUSSI STOCKE L'ÉLECTRICITÉ, ET IL EST BEAUCOUP MOINS ENCOMBRANT QUE VOTRE "PILE"...

FAITES-MOI VOIR ...

OUCH!

C'EST VRAI!

HA!

SON NOM, C'EST PATAPOUF!

ZAK

MAIS VOUS POUVEZ L'APPELER $PA^2 \rightarrow$ TA VPOUF!

IL FAUDRAIT PRÉVOIR UNE TIGE DE MÉTAL POUR CANALISER LA CHARGE NÉGATIVE... ON POURRAIT AINSI...

HEU... JE VOUS CONSEILLE PAS TROP...

JE VAIS LUI PRÉPARER UNE SORTE DE CASQUE, ET UNE... HEU... CULOTTE, ET ON DEVRAIT OBTENIR...

...UN ÉLECTROCHAT !!!

TENEZ-LE BIEN, JE VAIS LUI ATTACHER CECI...

HEU... AUTANT VOUS PRÉVENIR... PATAPOUF NE SUPPORTE PAS LES LAISSES !

FFFF

MMEOOW

AÏE!

JE CROIS QUE JE VAIS PLUTÔT GARDER LA PILE...

HISSSSSS

Fin

- La pile de VOLTA a été améliorée pour donner la pile que nous connaissons aujourd'hui. Mais le principe reste le même : deux matériaux différents (le zinc et le cuivre à l'époque de Volta, le zinc et le manganèse aujourd'hui), dont l'oxydation dans un liquide (l'eau salée pour Volta, un gel d'ammonium aujourd'hui), crée des électrons.

- À la même époque, LUIGI GALVANI, un autre scientifique italien, prétendait que l'électricité venait des animaux. Volta et lui se sont « affrontés scientifiquement » pour prouver que leur théorie était la bonne. « L'électricité animale » contre « l'électricité métallique ». C'est pour démontrer que Galvani avait tort que Volta a construit sa fameuse « pile ».

Le saviez-vous ?

- 50 ans avant la pile de Volta, la bouteille de LEYDE permettait de stocker l'électricité statique, celle que l'on obtient avec un frottement. À l'époque, la bouteille de Leyde était utilisée comme attraction dans les foires pour donner des chocs électriques aux gens. À Versailles, on a même présenté au roi la décharge d'une grosse bouteille de Leyde qui traversa 200 courtisans se tenant par la main.

L'ÉLECTRICITÉ PEUT RENDRE MOCHE...

● On obtient de l'électricité statique de diverses manières. Si on frotte une règle en plastique avec un chiffon, puis qu'on la passe au-dessus de ses cheveux, ils vont aller se coller dessus. Pareil avec des petits bouts de papier ou de gomme. Si l'on enfile un vêtement en nylon, on entend le SKRZZZ d'une minidécharge... Et lorsqu'on descend de voiture, on peut recevoir une petite secousse également...

● Autre expérience amusante : on se peigne les cheveux bien secs, puis on approche le peigne en plastique d'un néon éteint. Dans l'obscurité, vous verrez que le tube va s'allumer par endroits. La charge électrique du peigne est suffisante pour exciter le gaz contenu dans le tube néon !

PATAPOUF... 32 VOLTS !

ZAK

● Quelques mesures en volts :
– les piles d'aujourd'hui : entre 1,5 et 9 volts
– les prises dans une maison : 220 volts
– les lignes électriques accrochées aux pylônes : entre 1 000 et 50 000 volts
– la chaise électrique : 2 000 volts
– la foudre : 100 millions de volts

JE VAIS TE FAIRE AVANCER, MOI...

● La pile électrique de Bagdad a été découverte en 1936. Il s'agit d'une poterie du 3e siècle avant Jésus-Christ, de 15 cm de haut, fermée avec du bitume et contenant une tige de fer dans un cylindre de cuivre. Il semblerait que cette pile produisait de l'électricité, près de 2 000 ans avant l'invention de Volta ! À quoi pouvait-elle servir ? Mystère...

TU ME RECHARGES MON TÉLÉPHONE ?

• La torpille est un poisson qui a la capacité de produire, comme certaines raies, de l'électricité. Elle peut envoyer des décharges de 60 à 230 volts !... pour se défendre ou pour assommer une proie.

JE VAIS PLUTÔT ME CONSACRER À L'ÉLECTRICITÉ ...

• La plus grosse pile du monde a été construite à Anvers en 2012. Elle fait la taille d'un camion et a permis d'alimenter en électricité 2 200 foyers.

MEUH.

• Si l'on pince sa langue entre une pièce de cuivre et une pièce de zinc et qu'on les fait se toucher, on reproduit l'expérience de Volta... en créant du courant électrique !

• Avant d'inventer la pile, Volta s'était déjà rendu célèbre en isolant le méthane... le gaz nauséabond qui s'échappe des marais ou que l'on trouve dans les pets des vaches.

ALORS ?

HOHÉ HIHE HOHÉ

OUAIS... BON, LAISSE TOMBER.

ZINC

CUIVRE

• Notre corps est conducteur d'électricité. Ça veut dire que l'électricité le traverse, c'est pour ça qu'elle peut être dangereuse, voire mortelle. Mais elle ne peut pas nous traverser à moins de 25 volts. C'est pourquoi on peut toucher une pile avec le doigt, ou le bout de la langue. On ressentira un picotement, mais c'est sans danger.

L'imprimerie

(1455)

Johannes Gutenberg

MA PAGE 17!!!

TU CROIS QUE ÇA A MARCHÉ, MARVIN?

PARDON MONSIEUR, ON EST BIEN DANS L'ATELIER DE GUTENBERG?

EN TOUT CAS, C'EST PAS TRÈS BIEN RANGÉ...

OUI, C'EST MOI !! QUI ÊTES-VOUS ET QUE VOULEZ-VOUS ???!

ENCHANTÉE, ADÈLE LETTRÉDOR, ÉCRIVAINE... ET FUTURE CLIENTE!

EN FAIT, "LETTRÉDOR", C'EST PAS MON VRAI NOM. J'AI PRIS UN PSEUDONYME (COMME ZEP, STAN OU VINCE) PARCE QUE J'AI ÉCRIT UN LIVRE!

REGARDEZ!

"LE DESTIN DE LA PRINCESSE GLOBULA"?

"IL ÉTAIT UNE FOIS UNE PRINCESSE QUI S'APPELAIT GLOBULA"...

OUI, ÇA DÉMARRE FORT!

"GLOBULA ÉTAIT BELLE, RICHE... MAIS MALHEUREUSE PARCE QU'ELLE N'AVAIT PAS CE DONT AUQUEL ELLE VOULAIT"...

"GLOBULA PLAISAIT AUX HOMMES, MAIS AUCUN NE TROUVAIT GRAISSE À SES YEUX"...

OUI, C'EST À LA FOIS AUTOBIOGRAPHIQUE ET FICTIONNEL... UNE HISTOIRE UNIVERSELLE, QUOI!

MAIS POURQUOI VOUS ME FAITES LIRE ÇA?!?

EH BIEN VOILÀ : JE VEUX QUE VOUS L'IMPRIMIEZ ET QUE "GLOBULA" SOIT LE PREMIER ROMAN DE L'HISTOIRE !

QUOI?

ÉCOUTEZ... JE DOIS IMPRIMER 50 BIBLES ET JE N'AI PAS LE TEMPS DE M'OCCUPER DE VOS ENFANTILLAGES !

JE L'AVAIS PRÉVENUE...

LÀ, IL Y A UN "E" QUI DÉPASSE...

ON NE TOUCHE PAS!

MAIS Y A QU'À L'ENFONCER...

NON!

OUPS.

RRoiiiiiiING!

JE VAIS LE TUER !!!

C'EST BON ! JE VOUS LAISSE FAIRE ! ,,, C'EST VRAI QUE C'EST FRAGILE, VOTRE TRUC !

BON OK, VOUS FINISSEZ VOS BIBLES ET JE REVIENS DEMAIN ,,, ET CE SERA LE 2e LIVRE DE L'HISTOIRE !

PETITE ÉCERVELÉE ! IL NOUS RESTE 625 FEUILLETS !,,, ON EN A ENCORE POUR PLUSIEURS ANNÉES !

QUOI ?!

,,, ALORS FAITES "GLOBULA", IL N'Y A QUE 23 PAGES !!

ICI, ON EST EN TRAIN D'ÉCRIRE L'HISTOIRE ! ON TRAVAILLE POUR L'AVENIR !

C'EST POURQUOI ON IMPRIME LA BIBLE !

TU PARLES D'AVENIR ! MON GRAND-PÈRE L'A DÉJÀ, LA BIBLE !

SI VOUS N'ÊTES PAS CONTENTS, VOUS N'AVEZ QU'À APPORTER VOTRE ,,, OUVRAGE AUX MOINES COPISTES !

ET MAINTENANT DEHORS !

CE SERAIT POUR PHOTOCOPIER CE TEXTE,,,

HUMM,,, JE N'AI PAS MES LUNETTES,,,

ON VA LE DONNER À NOTRE JEUNE NOVICE HORACIO,,,

C'EST UN TEXTE RELIGIEUX, JE PRÉSUME ?

HEU,,,

ADÈLE,,, JE CROIS QUE LES PHOTOCOPIEUSES, EN FAIT, CE SONT LES TYPES CHAUVES !

J'AVAIS COMPRIS, DÉBILE ! C'EST DES MOINES !!

FRÈRE HORACIO, VOICI UN MANUSCRIT À RECOPIER, SANS FAUTE D'ORTHOGRAPHE !

CE SERA FAIT, AMARIUS !

HU HU

Arnach

Le saviez-vous ?

• Pour imprimer un texte, on « composait » manuellement les mots avec des « caractères », des lettres à l'envers, en plomb. On les déposait délicatement avec une pince sur une plaque, en ajoutant des petites plaques de plomb pour créer les espaces. Ce procédé s'appelle la typographie.

• Ça donnait ceci :

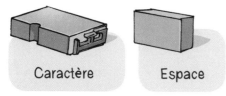

Caractère   Espace

• Une fois le texte terminé, on l'enduisait d'encre, on le plaçait dans la « presse » et on insérait une feuille blanche que l'on pressait sur les caractères.

• On mettait ensuite la feuille à sécher et on recommençait.

• Ce système a été utilisé pendant 4 siècles ! Puis il y a eu l'invention du monotype (1884), sorte de machine à écrire géante sur laquelle on composait le texte puis celui-ci était « fondu » directement avec du plomb en fusion. Puis la photocomposition, procédé photo, dès les années 1950, et enfin l'ordinateur.

• Gutenberg était associé à un banquier, Johann Fust, qui finançait son imprimerie. Malheureusement, les premiers livres connaissent un succès mitigé et Fust, furieux, récupéra l'invention de Gutenberg à son nom. Gutenberg, génial inventeu a fini sa vie dans l'oubli.

• La bible de Gutenberg, le premier livre imprimé de l'histoire, a été tiré à environ 180 exemplaires. Cela a pris près de 3 ans. Il en reste aujourd'hui 48 exemplaires dans le monde.

• Avant l'imprimerie, c'étaient les moines copistes qui recopiaient à la main les livres. C'était ainsi que le savoir se transmettait... sous le contrôle de l'Église et de l'Inquisition qui autorisait ou interdisait la reproduction des manuscrits. On appelait ces livres recopiés et enluminés des codex.

• Le livre le plus imprimé dans le monde est... la Bible, avec 2,5 milliards d'exemplaires.

• Le livre le plus cher vendu aux enchères est le Codex Leicester, qui regroupe les écrits de Léonard de Vinci. Il a été acheté par Bill Gates pour 30,8 millions de dollars.

C'EST BÊTE...

VOTRE HISTOIRE AURAIT FAIT UN SUPER-LIVRE!

AIDEZ MOI

● Au 19ᵉ siècle, l'imprimerie va utiliser des rouleaux de papier, au lieu d'imprimer feuille par feuille. On appelle ça la « rotative ». Cela permettra un avènement des journaux qui nécessitaient des gros tirages.

L'IDÉE M'EST VENUE TOUT SIMPLEMENT ...

PERSONNE NE VEUT ÉDITER " LE DESTIN DE LA PRINCESSE GLOBULA" !!

JE SUIS VICTIME DE LA CENSURE DE L'ÉTAT !!

ENCORE HEUREUX QUE L'ÉTAT NOUS PROTÈGE !!,,

● L'imprimerie a permis de diffuser des romans, de la poésie, de la bande dessinée et, souvent des idées de liberté. C'est pourquoi certains gouvernements pratiquent la censure, c'est-à-dire interdisent d'imprimer certains écrits. On dit qu'ils entravent la liberté de la presse.

● Selon le classement de Reporters sans frontières, la Corée du Nord est le pays où il y a le moins de liberté de la presse.
La France arrive en 37ᵉ position sur 178 pays...

DÉSOLÉ LES LOSERS !,,,

● Le plus gros tirage de l'édition moderne est le catalogue IKEA, tiré à 200 millions d'exemplaires.

C'EST MOI, LA STAR!

Les Grandes Inventions
de l'Histoire

C'EST TOUT ?

ÉVIDEMMENT, SI ON NE COMPTE PAS L'INVENTION DU SLIP EN PEAU DE TIGRE...

Invention du bateau

Invention de la saucisse

- 500 000	- 8 000	- 5 000	- 4 000

Froutchk
invente le feu.

PAR HORUS, OÙ EST-CE QUE JE LES AI MISES ?!!

Les Égyptiens inventent les serrures et les clefs.

Archimède
pose les bases des mathématiques.

Invention de la roue
et de l'écriture par
les Mésopotamiens

Invention de
la catapulte par
Denys l'Ancien

Invention de l'aqueduc par
Marcellus Vitruvius Pollio

-3 500	-3 000	-399	-250	-50	105

Le gnomon / cadran solaire

Cai Lun invente le papier,
fabriqué à partir d'une pâte
d'écorce d'arbre.

Brahmagupta

définit le zéro comme valeur nulle 700 ans après son invention par les Mésopotamiens.

WAOUH !

Verres grossissants.
Le moine Roger Bacon fut un des rares scientifiques du Moyen Âge. Ses recherches sur l'optique permirent l'invention des lunettes.

L'imprimerie par
Johannes Gutenberg

| 628 | 650 | 1000 | 1250 | 1280 | 1455 | 1580 |

Invention de la poudre à canon par les Chinois

Les lunettes par
Salvino Degli Armati

Invention de la fourchette…
Jusque-là, en Occident, on mangeait avec une cuillère… ou ses doigts.

William Gilbert
découvre les lois
de l'électricité.

La boîte aux lettres par **Jean-Jacques Renouard de Villayer**

Le piano par **Bartolomeo Cristofori**

a lunette astronomique et le thermomètre aux alentours de 1600 par Galilée

L'horloge à pendule par Christian Huygens

La machine à vapeur par James Watt

| 1600 | 1620 | 1653 | 1656 | 1671 | 1698 | 1765 | 1769 |

Cornelius Drebbel invente le premier sous-marin… à rames !

Le télescope par **Isaac Newton**

Le sandwich par John Montagu, 4e comte de Sandwich

L'automobile par Nicolas-Joseph Cugnot

La guillotine (baptisée du nom de Joseph Ignace Guillotin) par **Antoine Louis**

ALORS ?

ÇA

MARCHE ...

Les toilettes par Alexander Cummings

Le Camembert par Marie Harel

La locomotive à vapeur par Richard Trevithic[k]

| 1770 | 1775 | 1783 | 1791 | 1792 | 1796 | 1800 | 1804 |

Le vaccin, par Edward Jenner, perfectionné ensuite par Louis Pasteur en 1881

DOMMAGE QU'ON N'AIT PAS ENCORE INVENTÉ L'APPAREIL PHOTO...

C'EST BEAU !

Les frères Montgolfier réalisent le premier vol en montgolfière.

La pile par **Alessandro Volta**

Rodolphe Töpffer invente la bande dessinée.

L'ascenseur par Elisha Graves Otis

Les chips par George Crum

La dynamite par Alfred Nobel

L'appareil photo par Louis Daguerre

Le papier-toilette par Joseph Gayetty

La photo par Nicéphore Niépce

1818	1826	1830	1837	1839	1853	1857	1866

Le vélocipède par Karl Drais

Invention du revolver par Samuel Colt

Brrr Blbrrr mm!!!

DAMN'D! UN CLIENT DE MOINS ...

Le cinéma
par les frères
Lumière

Robert C.Baker
invente
le nugget
de poulet.

La bombe
atomique
par Robert
Oppenheimer

Le Web
pour tous
par Timothy
Berners-Lee

| 1895 | 1926 | 1941 | 1943 | 1949 | 1963 | 1989 |

La télévision par
John Logie Baird

George de Mestral
invente
le Velcro.

CA
MARCHE
!!

L'ordinateur
par
Alan Turing

Les inventions ratées

• Le 4 février 1912 à 8 h 22, devant la presse et une foule de badauds, FRANZ REICHELT sauta du premier étage de la tour Eiffel (57 mètres !) pour faire la démonstration de sa veste-parachute... Quelques secondes plus tard, il s'écrasa au sol et mourut.

• Le Chinois WAN HOO rêvait de devenir le premier astronaute au 16ᵉ siècle. Il s'est harnaché à un fauteuil bardé d'explosifs. On ne l'a jamais retrouvé !

Arnold Von Sochosky

• L'Ukrainien ARNOLD VON SOCHOSKY invente la peinture luminescente, en y ajoutant du radium. Il mourra à cause des radiations.

PAS FACILE !

● Dans sa campagne de propagande, le dictateur nord-coréen KIM JONG-IL s'est attribué beaucoup d'exploits ... Il a notamment proclamé avoir inventé le hamburger en 2000. Il lui a donné le nom de « double pain avec viande »... Sacré Kim !

CRRR CRRR

BONJOUR

JE SUIS GÉNIAL ! J'AI INVENTÉ UNE MACHINE QUI TE TRANSFORME EN SCHTROUMPF !

... ET MOI, J'EN AI UNE QUI VA TE COLORER LA TRONCHE EN ROUGE !

● PHILIP GARNER est un inventeur américain. On lui doit les rollers à talons hauts, le chapeau qui salue tout seul, la radio portable pour chiens, la douche en spray, l'imprimante vocale et des dizaines d'autres inventions stupides, recensées dans son catalogue « Vivre mieux » publié en 1982 !

● Dans les années 60, une firme américaine proposait d'acheter une invention géniale: un filtre magique qui faisait de la télévision noir et blanc une télé couleur !
Il s'agissait en fait d'une simple feuille de plastique rouge, bleu et vert qu'on plaçait devant l'écran...

● En 1968, SPENCER SILVER, employé chez un grand fabricant de colle et de ruban adhésif, travaillait sur une formule de colle hyper forte. Il s'est trompé dans les dosages et obtint une colle qui ne collait presque pas. Il l'essaya sur des petits papiers et inventa le Post-it en 1980 !

GROS NUL

C'EST LA FAMEUSE CHOUCROUTE TATIN...

● La spécialité du restaurant des SŒURS TATIN était la tarte aux pommes. Un jour, Stéphanie, étourdie, oublia de mettre la pâte sous les pommes. Ni vu ni connu, elle la posa par-dessus pendant la cuisson et retourna la tarte avant de servir. Ainsi naquit la fameuse tarte Tatin, en 1898.

● L'inventeur le plus gaffeur de l'histoire est un personnage de BD, GASTON LAGAFFE, créé par Franquin. On lui doit, en vrac : le mastigaston (machine à ventouse permettant de mâcher ses aliments sans se mordre les joues), la machine à faire les nœuds de cravate, le sapin de Noël rotatif, le vélo pliable, l'airbag (qui étouffe les automobilistes), divers systèmes de rangement révolutionnaires... et le fameux gaffophone, sorte de harpe des cavernes. Évidemment, chacune de ses inventions débouche sur une catastrophe.

● CHARLIE HARRY FRANCIS, glacier britannique, a inventé en 2013 une crème glacée phosphorescente, à base de protéines de méduse. Celles-ci réagissent aux coups de langue qui activent le phénomène réfléchissant.